Maude Côté-Ouimet

j'apprends à lire avec

LES PETITES SOURIS

Illustrations de
Jean-Noël Rochut

Texte de
Fanny Joly

Une nuit, une troupe de souris découvre un endroit étonnant.

Dans le faisceau des *lampes de poche*

apparaissent des rangs de *fauteuils* recouverts de velours.

Sur les murs, des *anges* soutiennent des *corbeilles* peintes en or.

Au fond, un grand *rideau* rouge tombe sur une estrade de *planches.*

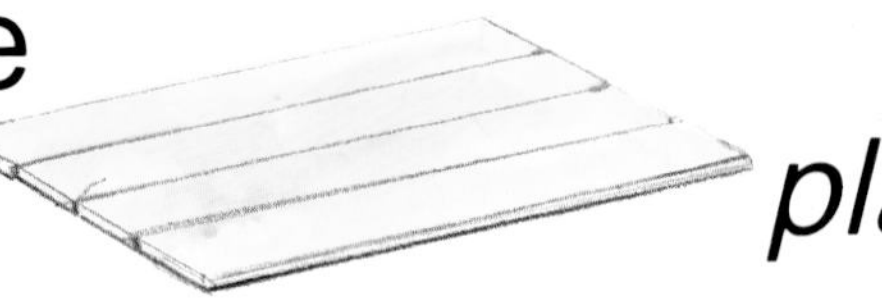

— Où sommes-nous ? demandent les souris.
— Dans un vrai théâtre, mes amis !

Distributeur exclusif au Canada : les Éditions Françaises Inc.
ISBN 2-03-651195-3

Les souris se faufilent dans les coulisses.
Quel bric-à-brac !

Les unes découvrent une  *armure,*

les autres,
des  *arbres* en carton.

— Qu'est-ce que c'est ? demande un souriceau.

— Une  *chaise à porteur !*
répond Clotaire.

— Et ça ?
demande une souricette.

— Ça ? Voyons, c'est un  *extincteur !*

Quant à la  *fontaine,*
elle est en papier mâché !

Dans un coin, une jolie coquette

a ouvert une *malle* en osier.

Elle s'écrie :

— Venez ! J'ai trouvé des  *gilets* brodés,

des *jupons,* des  *chapeaux melons !*

La troupe accourt.

Quelques instants plus tard...

Voici un marquis en  *redingote,*

une belle dame en  *crinoline,*

et même un abbé en soutane !

Clotaire admire la grosse *mappemonde.*

Puis il fait claquer ses *bretelles,*
comme chaque fois qu'il a une idée.

— Les amis ! On va monter un spectacle :
un voyage autour du monde !

Toi, Lily, tu seras la *vedette,*
annonce-t-il
à la plus jolie souricette,

celle qui a d'immenses  *cils*

et un  *grain de beauté* sur chaque joue.

Et toi, Roméo, dit-il à un grand souriceau

qui a de superbes  *moustaches* frisées,

tu emmèneras Lily en voyage !

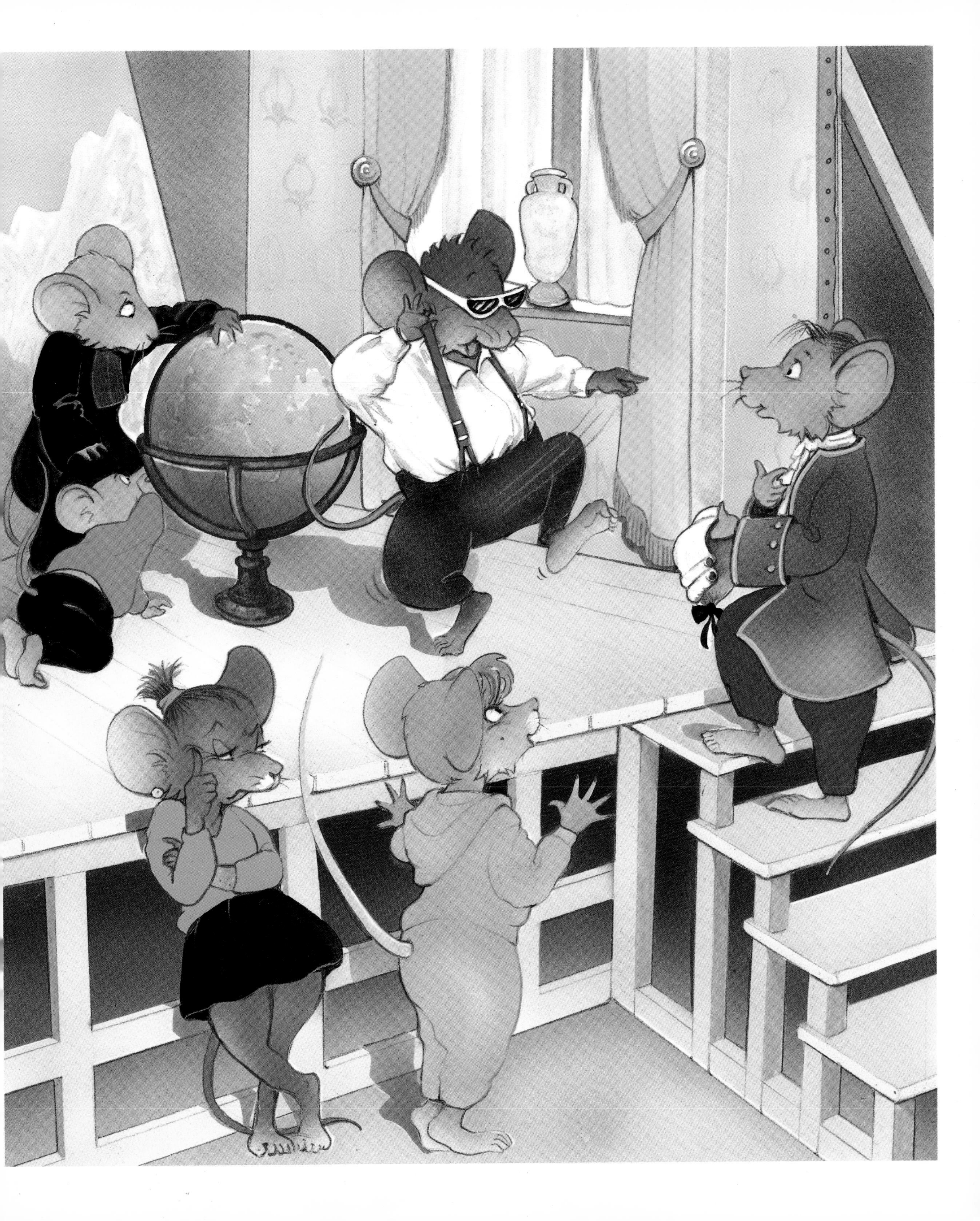

Aussitôt, la troupe se met au travail.

Les menuisiers sortent leurs *scies,*

leurs 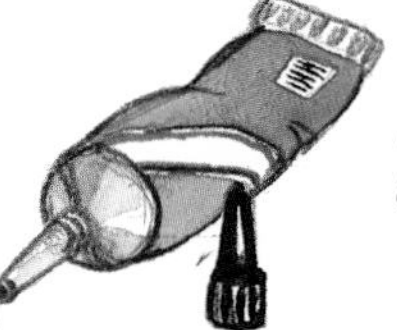 *tubes de colle* et leurs clous.

Sur l'*échelle,* les machinistes hissent des panneaux

avec des  *poulies.*

Les peintres peignent à grands coups de *brosse*

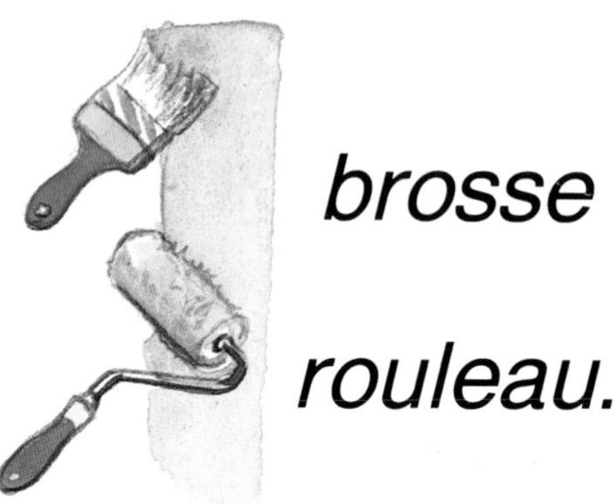

et de *rouleau.*

On construit même

un avion avec un *ventilateur* comme moteur

et des pagaies pour faire l'hélice.

C'est le grand soir. Tout est prêt,

même le *pompier*

est sur son  *tabouret !*

Avec un *fer à friser,* la maquilleuse retouche

les moustaches de Roméo.

Lily glisse son joli  *museau*
sous un coin du rideau.

Elle a le cœur battant : la salle est remplie
de spectateurs, jusqu'au dernier

strapontin !

Les messieurs
ont mis leurs *nœuds papillons*
et les dames leurs plus belles robes.

Le rideau se lève. Le public se tait.
Roméo et Lily entrent en scène,

vêtus de *blousons* et de

casques d'aviateur.

Roméo range les *bagages* dans le coffre de l'avion.

La *manche à air* indique : vent léger.

En coulisse, un machiniste branche
une prise électrique.

L'hélice se met à tourner...
c'est magique.

L'aiguilleur du ciel annonce au

micro :

Attention : décollage immédiat.

C'est parti !
Roméo et Lily survolent le *désert* d'Égypte.

Ils aperçoivent une  *pyramide* protégée

par un  *sphinx* majestueux.

Un *dromadaire* fait sa sieste sur le sable, un explorateur inspecte à la loupe

une *momie* dans son  *sarcophage.*

— Ça te plaît ? Tu veux qu'on se pose ?
demande Roméo à Lily...

— Euh... Il y a un  *chat,* là-bas...
J'aime mieux qu'on s'en aille !

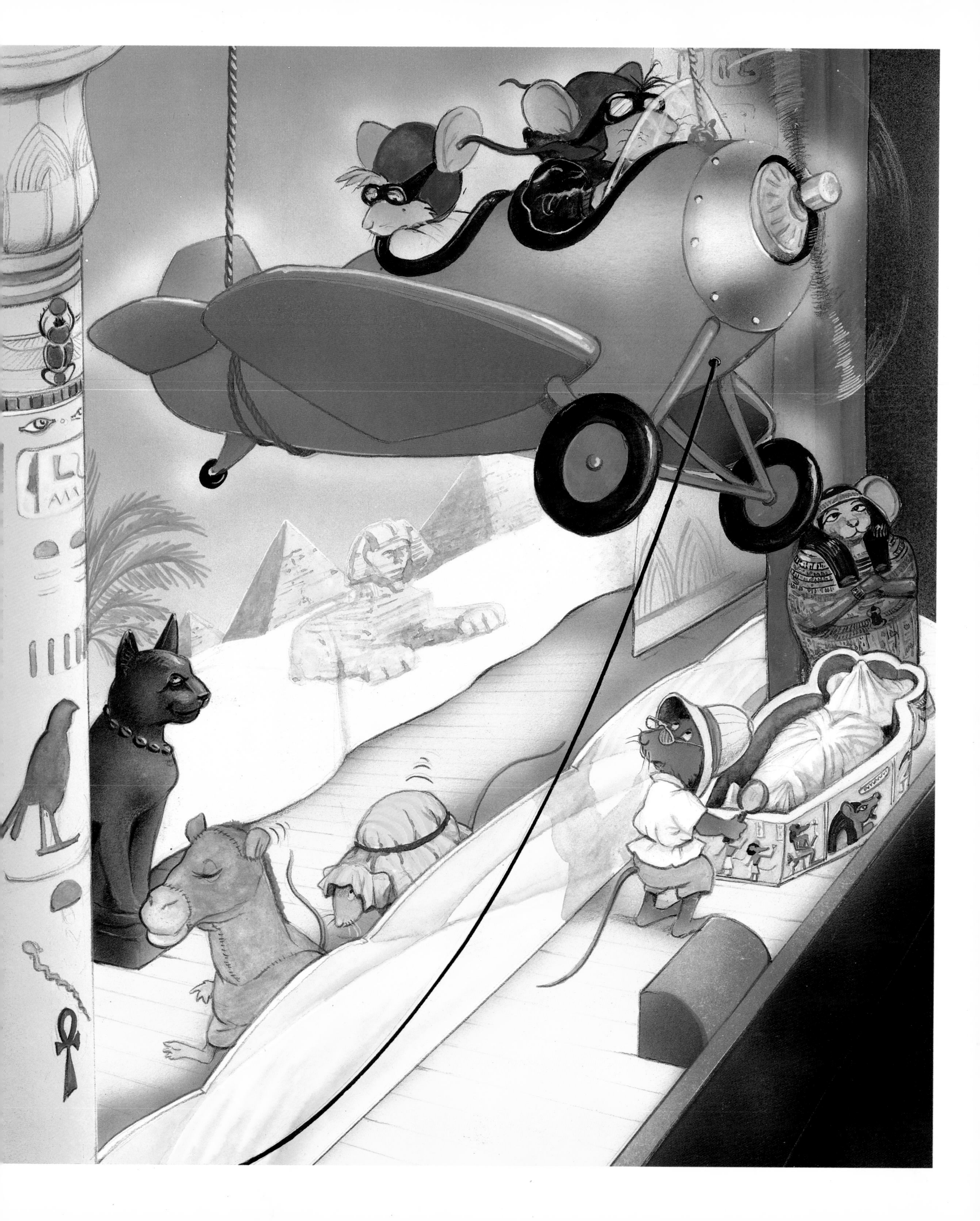

Roméo emmène Lily dans les *îles.*

Ils plongent avec des *bouteilles d'oxygène.*

Dans les profondeurs de la mer,
ils croisent des *coquillages,*
des poissons multicolores,

des *étoiles de mer,* des 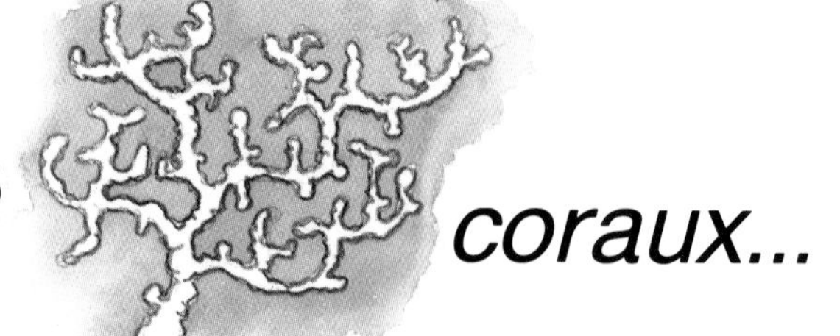 *coraux...*

C'est magnifique ! crie Roméo,
le pouce en l'air,
en faisant des *bulles.*

— Non ! ça pique ! grogne Lily,
qui vient de marcher sur un 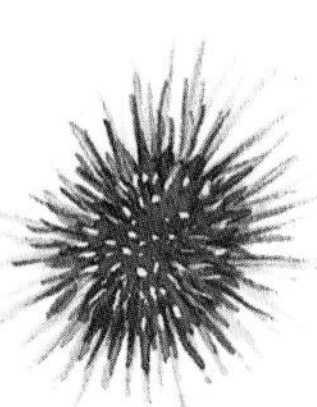 *oursin.*

La suite du voyage
les entraîne
dans la  *savane* africaine.

Ils s'habillent
plus légèrement : en 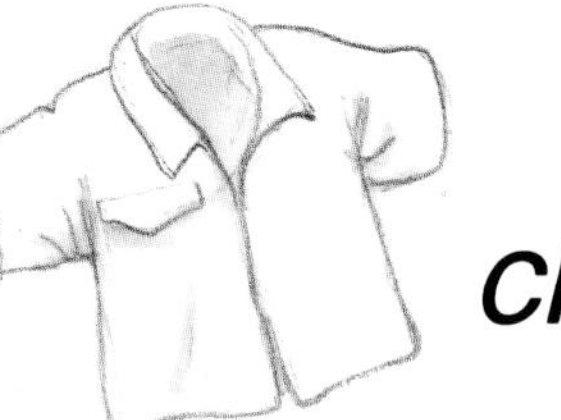 *chemisette*
et en  *short* blanc.

Roméo sort sa *boussole*
et déploie sa
carte pour se repérer.

Une  *panthère* rôde,

un *vautour*
plane...

Quand le rhinocéros devient féroce,
notre vedette s'affole :

— Roméo, fuyons ! fuyons !

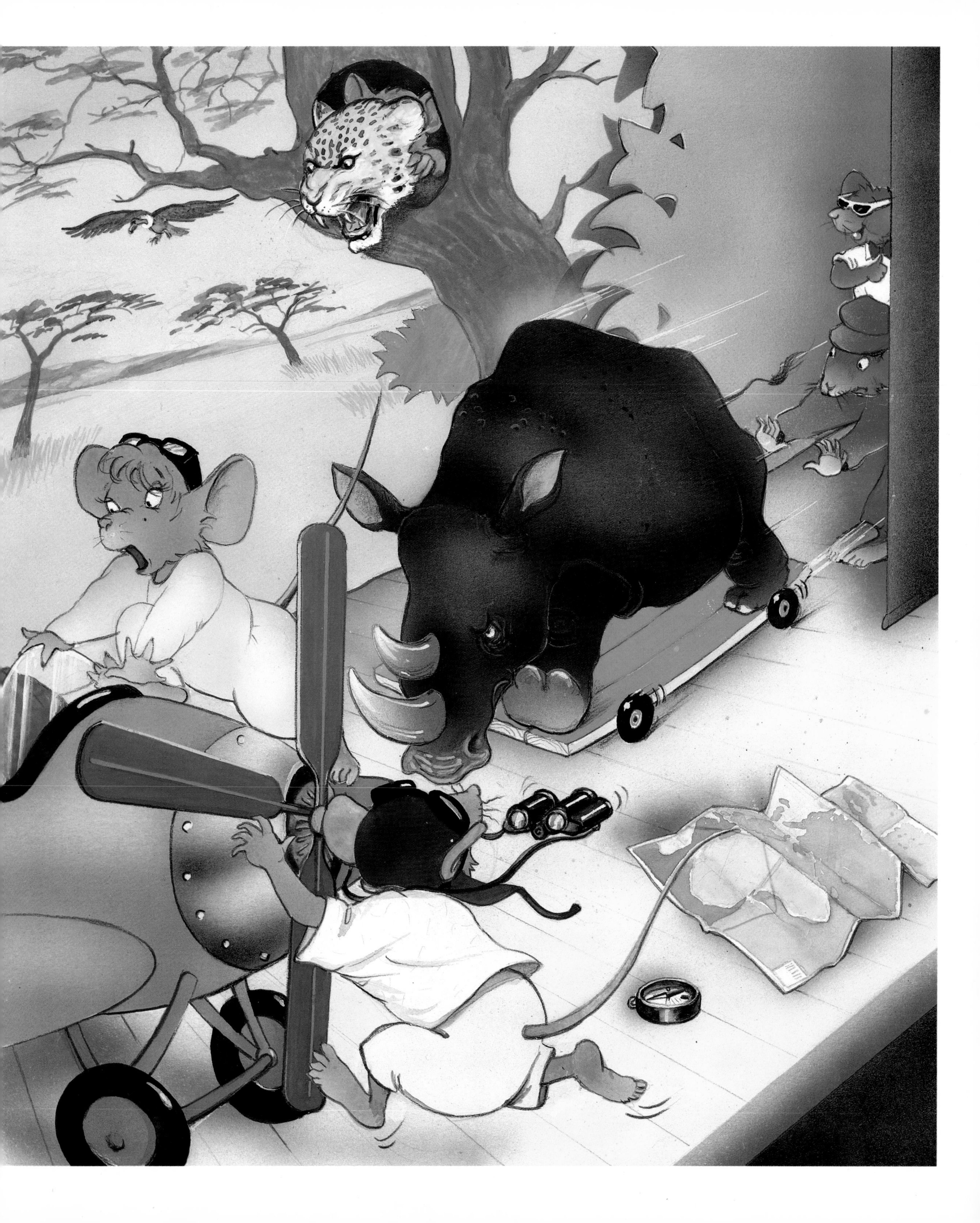

Dans le jardin japonais tout est calme...

Sur le  *pont,*
une souris en *kimono*

se promène en agitant doucement son 

éventail.

Elle plaît tant au samouraï
qu'il confond sa *lance*
avec le balai !

Sous les *cerisiers* en fleur,
Roméo et Lily sont invités à prendre le thé.

Ils ont si soif qu'ils vident la  *théière !*

— Ça te plaît, tu veux rester ?
demande Roméo à sa fiancée.

Oui, mais j'aurais peur de m'ennuyer...

Roméo emmène sa jolie Lily
escalader l'Himalaya.

Attachés par une *corde*
et armés de *piolets,*

ils grimpent le long de la *paroi.*

— Tu as froid ? Enfonce ton bonnet !
crie Roméo à Lily,
qui a du mal
à soulever ses *chaussures à crampons.*

Heureusement, ils arrivent en haut.
Roméo plante le *drapeau.*

— Moi je vivrais bien ici ! s'écrie le héros.
— Pas moi ! s'exclame Lily,

qui a vu le

yeti.

Voilà les souriceaux dans le Grand Nord...

Des  *rennes* tirent leur *traîneau.*

— Oh, on est au pays du *Père Noël ?* s'écrie Lily,

qui aperçoit
un bonhomme avec une *hotte,*
une barbe blanche et une cape rouge...

— Demande à cet  *Esquimau*

qui marche sur ses  *raquettes,* dit Roméo.

— Ah non !
Rentrons chez nous, il fait trop froid !

Sur le chemin du retour, Roméo et Lily
tombent au milieu du carnaval.

Tout le monde danse sous les *lampions :*

le *Pierrot* avec la *bergère,*

le *vampire* avec la *sorcière.*

Cette fois, Lily est ravie.

Elle se précipite pour embrasser son Roméo.
Mais que se passe-t-il ?

Sous le *masque,* elle découvre un mulot !

Heureusement, Roméo n'est pas très loin
et tout se termine très bien...

Le spectacle touche à sa fin.

La troupe au complet vient saluer.

Lily n'en finit pas de faire des  *révérences.*

Un admirateur lui lance un  *bouquet de fleurs.*

Un autre la filme avec son  *Caméscope.*

Roméo crie : Au revoir ! Au revoir ! en agitant son 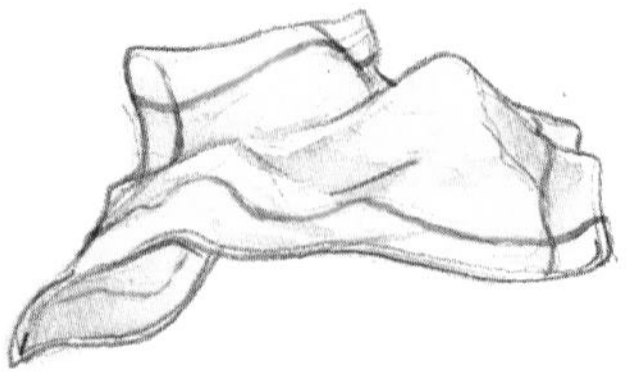 *mouchoir.*

Quel succès !

Tous les  *spectateurs*

crient en chœur

— Bravo ! Bravo !

Conception	Brigitte Arnaud
Coordination	Odette Dénommée
Mise en pages	Henri Schweizer
Fabrication	Annie Botrel

Photocomposition SCP, Bordeaux.
Photogravure OFFSET-PUBLICITÉ, Maisons-Alfort.
Impression POLLINA, Luçon. n° 15296
Dépôt légal : octobre 1992. - N° d'éditeur : 17015.
Imprimé en France. (Printed in France) - 651195 octobre 1992.